모기와 황소

이 그림책의 글 「모기와 황소」는 『어린이』지(1949년 5월호)에 실린 작품입니다.

그린이 · 이억배

1960년 용인에서 태어나 홍익대학교 미술대학 조소과를 졸업했습니다.
그 동안 그린 책으로는 『솔이의 추석이야기』, 『반쪽이』, 『세상에서 제일 힘센 수탉』, 『손 큰 할머니의 만두 만들기』 등이 있습니다.
지금은 안성에 살면서 어린이 책 그림을 그리는 데 힘을 쏟고 있습니다.

글쓴이 · 현동염(玄東炎)

소파 방정환의 수제자로 수많은 아동 문학 작품을 남겼습니다. 그에 관해서는 1932년 "조합 간부로 노동운동을 하면서 소년 소설을 쓴다"는
기록이 있으며, 계급주의 아동 문학의 전성기에 『별나라』와 『신소년』에 글을 쓰면서 활동했습니다.
소파 방정환의 주도로 창간된 『어린이』지에 많은 작품이 실려 있으며, 동시집 『알암밤 형제』를 남겼습니다.

민들레 그림책 7 모기와 황소

글 · 현동염 | 그림 · 이억배

초판 발행 · 2003년 2월 5일 | 초판 2쇄 · 2003년 3월 15일 | 발행인 · 이호균 | 발행처 · 길벗어린이(주) | 등록번호 · 제 10-1227호 | 등록일자 · 1995년 11월 6일
전화 · 영업부 02-322-6012, 편집부 02-3141-0220 | 팩스 · 02-322-6014 | 주소 · 서울시 마포구 연남동 369-20 공명빌딩 2층 | 홈페이지 · www.gilbutkid.co.kr

ISBN 89-5582-004-6, 77810
값 8,500원

모기와 황소

글 · 현동염　그림 · 이억배

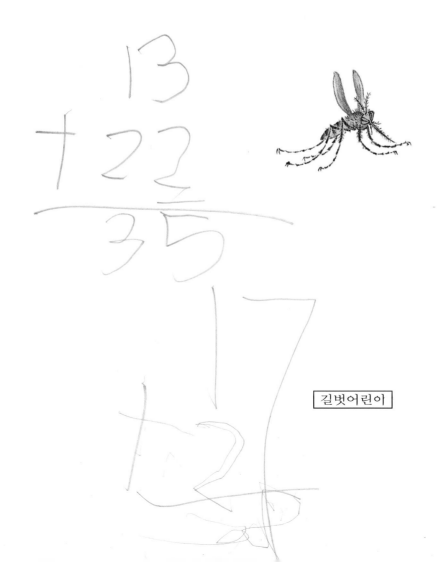

길벗어린이

꼬기요—

닭의 울음에 먼동이 터옵니다. 외양간에서는 일터로 나갈 황소가 벌써
죽을 먹고 있습니다. 구수한 김이 무럭무럭 나는 콩 섞인 여물죽입니다.
이를 본 병아리는 군침이 동했습니다.

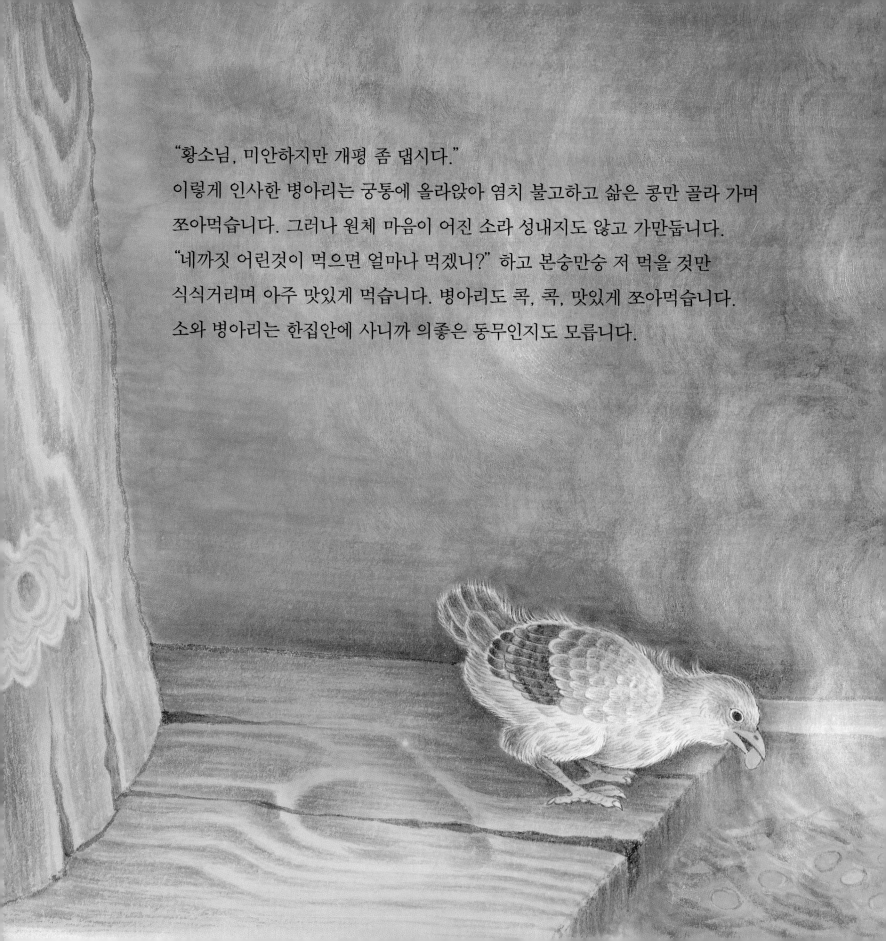

"황소님, 미안하지만 개평 좀 댑시다."
이렇게 인사한 병아리는 궁통에 올라앉아 염치 불고하고 삶은 콩만 골라 가며
쪼아먹습니다. 그러나 원체 마음이 어진 소라 성내지도 않고 가만둡니다.
"네까짓 어린것이 먹으면 얼마나 먹겠니?" 하고 본숭만숭 저 먹을 것만
식식거리며 아주 맛있게 먹습니다. 병아리도 콕, 콕, 맛있게 쪼아먹습니다.
소와 병아리는 한집안에 사니까 의좋은 동무인지도 모릅니다.

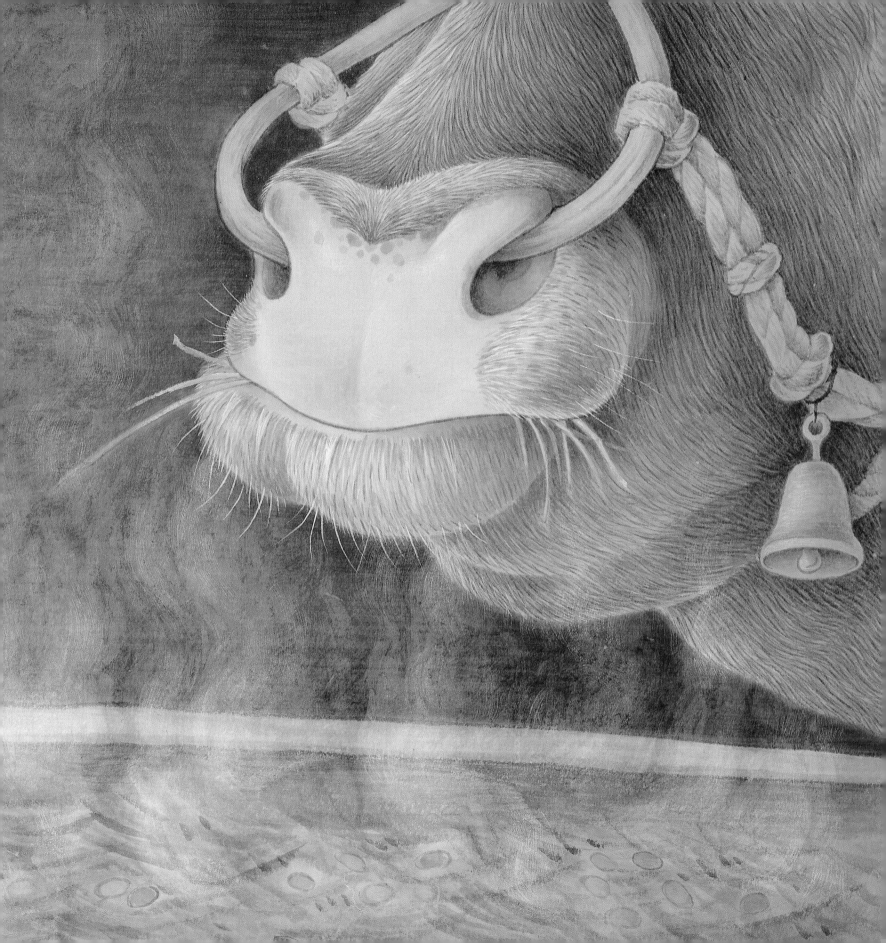

어디선지 파리 새끼 한 놈이 날아와 외양간 기둥에 붙어 가지고
이 광경을 부럽게 보았습니다. 아무리 생각해 봐도 소와 병아리는
친구나 일가가 될 리 만무한데, 음식을 나누어 먹는 것이 이상했습니다.
"오라, 소란 놈이 원체 어리석고 못나서 그렇구나. 그러면 됐다. 나도 시장하니
소의 피나 좀 빨아 먹어야지." 하고 소 잔등으로 옮아앉았습니다.

소는 그대로 천연스레 죽만 먹습니다. 파리는 주둥이를 소의 살에다 박고
쪽쪽 피를 뺍니다. 배가 터지게 남의 피를 빨아 대서 소는 그만 아픈 김에
질겁을 해 놀라는 순간, 무엇이 휙 하는 소리가 나더니 파리의 몸을
다우쳐 가지고 어디론지 없어지는 듯했습니다.

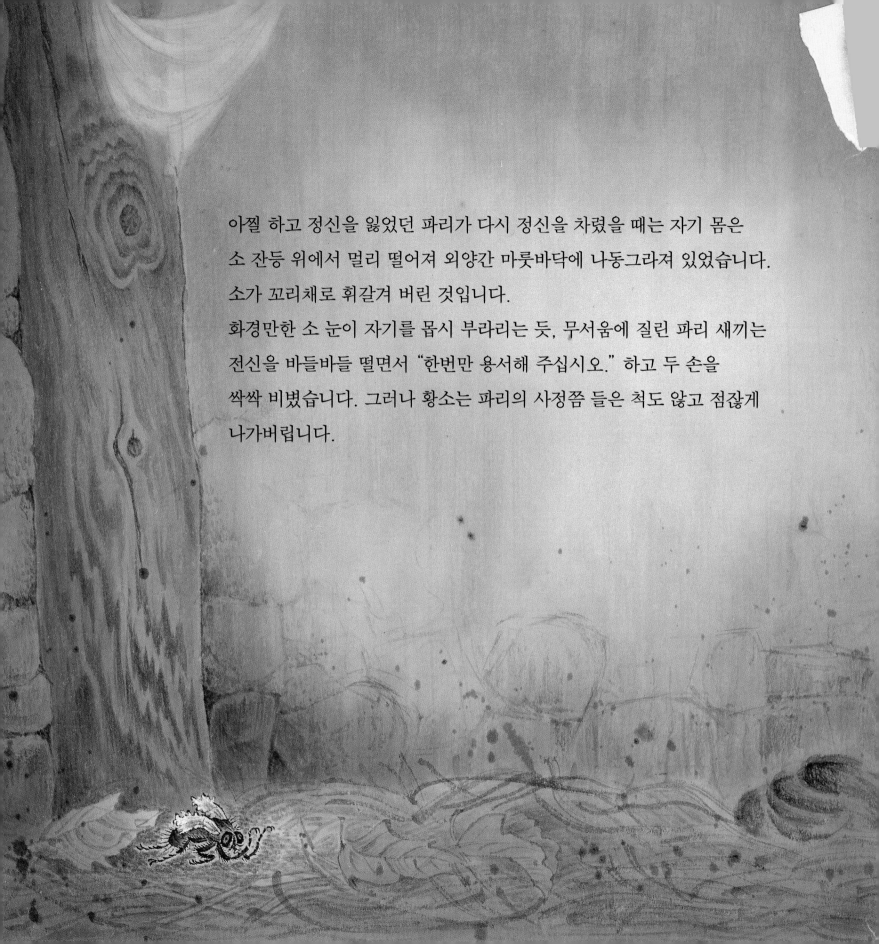

아찔 하고 정신을 잃었던 파리가 다시 정신을 차렸을 때는 자기 몸은
소 잔등 위에서 멀리 떨어져 외양간 마룻바닥에 나동그라져 있었습니다.
소가 꼬리채로 휘갈겨 버린 것입니다.
화경만한 소 눈이 자기를 몹시 부라리는 듯, 무서움에 질린 파리 새끼는
전신을 바들바들 떨면서 "한번만 용서해 주십시오." 하고 두 손을
싹싹 비볐습니다. 그러나 황소는 파리의 사정쯤 들은 척도 않고 점잖게
나가버립니다.

이제야 살았구나…… 하고 파리는 벌떡 일어나 부러진 날갯죽지로 지척거리고 날아서 도망가다가 어느 집 시궁창 옆 댑싸리 나무에 쉬게 되었습니다.

앵— 앵— 다친 상처가 아파서 신음하는 파리의 울음소리에 이곳서 자고 있던 모기 한 마리가 놀라 깨더니만 어쩐 일로 그랬냐고 다정히 물었습니다.

파리는 남의 살 좀 먹으려다가 죽을 뻔했노라고…… 소에게 혼뜨검이 난 이야기를 했습니다.

이 말을 듣고 난 모기는 "흥!" 하고 코웃음을 칩니다. "그까짓 지지리 못난 놈한테 혼이 나다니…… 그놈은 나의 밥이며 나의 놀림감인데." 하고 파리를 비웃습니다.

파리는 모기 말이 하도 엉뚱한 거짓말 같아 잠잠히 있다가, "아니 그래, 우리같이 어린 생물이 남산만한 황소를 깔본대서야 말이 되오? 나도 하룻강아지 범 무서운 줄 모르고 덤볐다가 이렇게 혼쭐이 났어. 그리고 소로 말하면 피땀이 나도록 일을 하고 먹는데, 자네로 말하면 낮에는 이렇게 낮잠이나 자다가 저녁이 되면 슬쩍 나타나서 남의 살과 피를 공짜로 빨아먹으러만 다니니 그래도 죄스러운 생각이 없단 말야, 나도 역시 자네와 비슷한 놈으로 양심상 죄스러울 때가 많으니 말일세……." 하고 파리는 물어보았습니다.

"원 천만에." 하고 모기는 펄쩍 뛰며 말합니다.

"원체 소로 말하면 나의 밥통으로 태어난 물건, 나로 말하면 놀고 먹는 양반이고,

그래서 그놈은 나의 앞엔 꼼짝 못하네." 하고 모기는 아주 뽐내는 것이었습니다.

그리하여 모기와 파리는 싸움이 되었습니다. 네가 못나서 소를 무서워한다거니,

네가 새빨간 거짓말을 한다거니 이렇게 옥신각신 말다툼을 하다가 둘이서는

드디어 황소를 찾아가 실지로 시험해 본 후, 누구 말이 옳은지 옳은 편이

절을 받기로 내기를 했습니다.

외양간에서 아침에 논으로 나간 황소는 온종일 피땀을 흘려 힘든 일을 하고
저녁때가 되어 피곤한 몸이 풀밭에 털썩 누워 한잠 편히 자려는 때였습니다.
때마침 모기와 파리는 소를 찾아온 것입니다.
"바로 저기 누워 버둥대는 저 놈일세." 하고 파리가 손짓으로 소를
가르쳐주었습니다.
"그러면 너는 검둥이니 저놈이 누워 자는 미루나무 위에 가 앉아서
대장님이 하시는 꼴이나 똑똑히 구경하게." 하고 모기는 말하였습니다.

그러더니 대뜸 소잔등에 날아가 붙어 가지고 날카로운 바늘 끝으로 콕—
한 방 쏘았습니다. 소는 꼼짝도 않습니다. 이래 가지곤 파리에 대한 모기 면목이
안됐습니다. 그놈이 따끔히 한 방에 질겁을 해서 길길이 날뛰는 꼴을 보여 주어야
자기 위신이 서고 속이 시원할 텐데 소는 태연히 누웠었습니다.

이때 모기는 용기 백배하여 대담히 소의 콧잔등으로 옮아 가지고 콕— 콕—
쏘아 대며 또한 귓바퀴를 간질이면서 앵앵댔습니다. 그리고 모기는
미루나무 위에 앉은 파리더러 들어 보라는 듯이 "황소야, 이놈. 모기 대장님이
오셨다. 버릇없이 누구 앞에서 함부로 낮잠이냐. 나에게 절 한 번 끄떡, 하면
잠자게 하지."

이렇게 큰 호령을 하며 소에게 덤빕니다.

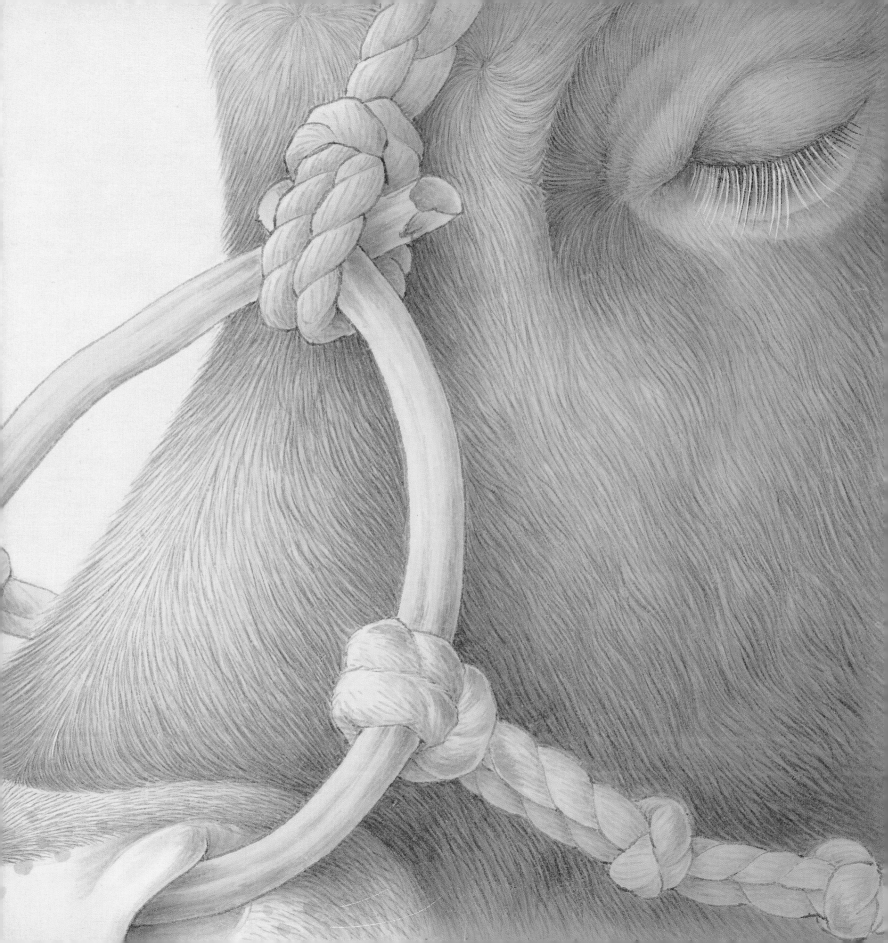

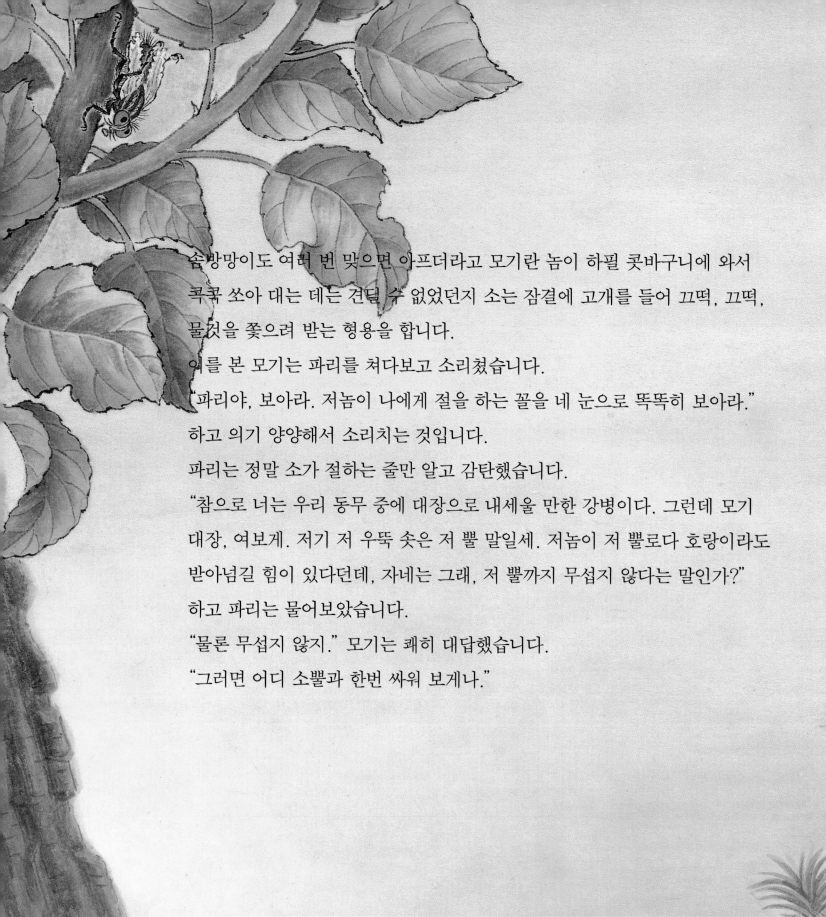

솜방망이도 여러 번 맞으면 아프더라고 모기란 놈이 하필 콧바구니에 와서
콕콕 쏘아 대는 데는 견딜 수 없었던지 소는 잠결에 고개를 들어 끄떡, 끄떡,
물것을 쫓으려 받는 형용을 합니다.

이를 본 모기는 파리를 쳐다보고 소리쳤습니다.

"파리야, 보아라. 저놈이 나에게 절을 하는 꼴을 네 눈으로 똑똑히 보아라."

하고 의기 양양해서 소리치는 것입니다.

파리는 정말 소가 절하는 줄만 알고 감탄했습니다.

"참으로 너는 우리 동무 중에 대장으로 내세울 만한 강병이다. 그런데 모기
대장, 여보게. 저기 저 우뚝 솟은 저 뿔 말일세. 저놈이 저 뿔로다 호랑이라도
받아넘길 힘이 있다던데, 자네는 그래, 저 뿔까지 무섭지 않다는 말인가?"

하고 파리는 물어보았습니다.

"물론 무섭지 않지." 모기는 쾌히 대답했습니다.

"그러면 어디 소뿔과 한번 싸워 보게나."

이 바람에 모기는 으쓱해서 이제는 소 모가지로 옮아 붙어 가지고 콕콕
쏘아 댑니다. 하도 귀찮게 쏘아 대는 바람에 성이 버럭 난 황소는 휙 목을
돌려 뿔로 물것을 받아치려 했으나 벌써 모기는 날쌔게 도망간 때라 애꿎은
자기 몸만 받고 말았습니다.

"아유, 싸고지이." 모기는 더욱 흥이 나서 간들댑니다.

파리도 우스워 허리가 부러지게 웃습니다. 소만은 골이 날 대로 났습니다.
실로 하잘것없는 미물이 단잠을 못 자게 성화를 대며 남의 살점을 뜯어먹는
것도 괘씸하거니와, 자기를 무슨 놀잇감으로 알면서 놀려 대는 모기, 고놈이
더욱 괘씸한 생각이 났습니다.

분이 머리끝까지 난 황소는 두 눈방울을 뒤룩뒤룩 굴리며 모기 놈을 잡으려고
몸을 부르르…… 떨고 "흥." 소리를 치며 벌떡 일어났으나 소용없는 일이었습니다.

"날 잡으면 용치. 날 잡으면 꼴 뜯어 주지." 하면서 더욱 재미나게 놀리기만
하는 것입니다.

"조놈이 정말 죽지 못해 몸살이 나나 보군……. 어디 이놈 두고 보자."
공중에서 까불대는 모기놈을 멀뚱 하니 한참 흘겨보고 난 황소는 이렇게
중얼거리며 다시 꼭 눈을 감고 가만히 잡을 궁리를 하였습니다.
원체 까불대는 모기는 그대로 신이 나서 앵앵대며 궁둥이를 뭅니다.
배때기도 뭅니다. 소의 몸은 뚫어져 피가 납니다. 그래도 소는 죽은 척,
두 눈을 감은 채 아픈 것을 꾹 참고 실눈을 떠서 동정만 살피다가 생코를
드르렁 하고 한 번 골았습니다.

모기는 정말 잠든 줄 속은 모양, "너무 놀려만 먹었더니 시장하군. 이제는 피나 좀
맘 놓고 빨아먹어야지." 하더니 잔등 위에 눌어붙어 찰거머리같이 마냥 피를 빨아 댑니다.
배가 불쑥하니까야 파리 생각이 났습니다.
"이 못난 검둥아, 어서 이리 와 모기 대장님께 항복했다 절해라. 소놈도 항복했다고
지금은 꼼짝 못한 채 엎드려 있지 않느냐. 어서 내려와 절 한 번 하면 피 빨아먹게 하지.
냠냠 아유, 맛있어."
모기는 이렇게 뽐내면서 파리에게 어서 내려와 절하라고 자꾸만 손짓을 하며 부릅니다.

그래서 파리는 내려가 볼까 망설이는 이때입니다. 소의 꽁무니에서 홍두깨 같은
무엇이 뻗쳐 나와 가지고 공중에 떴다가 내리 덮치더니만 모기가 앉은 바로
정통을 철썩 하고 모질게 갈겼습니다.
조금 전만 해도 그처럼 의기 양양하던 모기는 앵 하는 비명 한 마디 못 지르고
납작하게 으그러져 죽고 말았습니다.

이를 본 파리는 "그놈이 그처럼 남을 깔보고 남을 속이고 남의 피를 마음껏
탐내더니 그만 소 벼락을 맞고 말았구나." 하고 무서워 벌벌 떨며 멀리멀리
도망갔습니다.

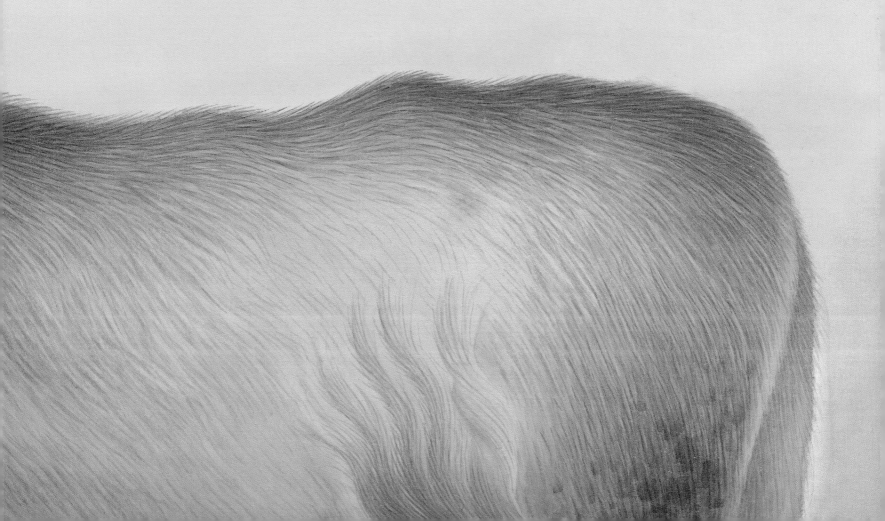